ISBN SÉRIE 2-84580-048-7 / ISBN VOL. 2-84580-049-5
ISBN ÉD.ORIGINALE 4-09-136354-7

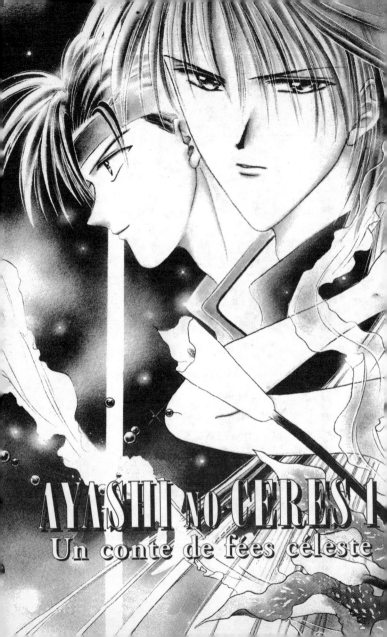

ANNIVERSAIRE : Le 24 septembre, Balance !!!

GROUPE SANGUIN : O

TAILLE : 1,66 m

MENSURATIONS : 83/67/86

PASSE-TEMPS FAVORIS : le Karaoké, les longues conversations téléphoniques, collectionner les bijoux

SPÉCIALITÉS : la faculté de se remettre très vite, chanter en imitant les stars

MERCI BEAU-COUP !!! YEAH !!

BON, ÇA SUFFIT !! DE TOUTE FAÇON, JE NE CROIS PAS UN MOT DE CETTE PRÉDICTION

HEIN ? C'ÉTAIT TON TOUR DE CHANTER ?

CLAP CLAP

AVEC UNE PETITE SŒUR JUMELLE AUSSI DÉRANGÉE QUE TOI, OÙ VEUX-TU QUE JE TROUVE LE TEMPS DE M'OCCUPER D'UNE PETITE AMIE ?

TU INSINUES QUE C'EST DE MA FAUTE LÀ ?

MAIS ALORS, LA SUIVANTE C'EST...

OH

JE VAIS CHANTER LE NUMÉRO 18 !!

C'EST TOI QUI AS TROUVÉ CE SURNOM !

JE SUIS AYA MIKAGÉ MAIS ON M'APPELLE LA "NAMIE AMURO*" DU LYCÉE SARASHINA" !!

PERSONNE NE T'A JAMAIS APPELÉE COMME ÇA !

C'EST REPARTI

BONSOIR TOUT LE MONDE, PARDON DE VOUS AVOIR FAIT ATTENDRE !!

CETTE MUSIQUE !!

*STAR DE LA CHANSON AU JAPON

9

DITES, C'EST LE MOMENT DE PRENDRE UNE PHOTO !!

CETTE PRÉDICTION DOIT BEAUCOUP LA PRÉOCCUPER !

— OUAH

IL ME SEMBLE QU'ELLE A LE REGARD ENCORE PLUS MEURTRIER AUJOURD'HUI !

NON CE N'EST PAS VRAII, JE FAIS SEMBLAAANT !!

C'EST JUSTE QUE JE NE PEUX PAS M'EEEN EMPÊÊÊÊÊCHEER !!

Just Chase the Chan

!!

MAIS LA VOYANTE N'AURAIIIT-ELLE PAAAS RAIISON ?!!

CRAASH

ARRÊTE DE GESTICULER AYA, CE N'EST PAS DE LA DANSE ÇA !!

PFF, TU NE COMPRENDS RIEN À L'ART !

AKI, RENDS-MOI CE MICRO !!!!

TCHAC

ATTENTION

12

13

LES BLA-BLAS DE YUU WATASE (LE RETOUR DE LA VENGEANCE DU FILS 2)

Salut !! Voici la nouvelle série de Watase !! Bonjour aux nouveaux et à tous ceux qui m'avaient lu précédemment dans Fushigi Yugi.

Pour ce volume 1, j'avais l'intention de commencer doucement mais finalement je suis déjà à cent à l'heure !! (rires grinçants). Cette idée m'est venue lorsque j'étais en troisième année de lycée (c'est dire si ça date de long-temps...(rires)), c'est-à-dire avant l'idée de Fushigi Yugi. C'est à cette époque que "Aya" est née dans mon esprit. Le conte-nu était plus horreur mais je l'ai arrangé pour lui donner une image plus fantastique.

Vous comprendrez plus tard pourquoi j'ai ajouté "Un conte de fées céleste" comme sous-titre. Bien sûr, l'ambiance et le ton sont différents de Fushigi, cependant je ferai de mon mieux pour vous montrer la force de Aya, les divers personnages (des nou-veaux vont arriver, soyez-en sûrs) et différentes formes d'amour, etc. Cette histoire peut être considérée comme l'inverse de ce que j'ai écrit jusqu'ici. Cela est dû à la façon de vivre et de penser des personnages. En particulier, ce qui est vraiment tout nouveau pour moi, c'est le "rôle du partenaire" qui est absolument indispensable... Le caractère de celui-ci est tout à fait différent de tous mes autres livres, ce qui le rend d'autant plus intéressant (il existait mais avait le personnage du mauvais – (rires) !).

Ensuite Aya. Pour être claire, elle est complètement à l'inverse de mes autres héroïnes. Oui, elle a des yeux "ronds" et non pas ridés... (rires)... Le dessin... Le dessin des yeux a été changé volontairement (Comme ils sont jumeaux, c'est pareil pour les yeux de Aki). Une influence de son caractère sur son phy-sique...? Non, dès le début je la voulais comme ça c'est tout. Elle s'est teint les cheveux, parle fran-chement (trop ?) et n'est pas très délicate, elle possède un caractère fort et vit comme ça lui chante. Bref, c'est ma nouvelle héroïne. Faites en sorte de l'aimer !

ALORS QUE JE TOMBAIS, DES IMAGES FURTIVES, COMME SUBLIMINALES, ONT ENVAHI MA TÊTE

QU'EST-CE QUI M'EST ARRIVÉ ?

"VOUS REN-CONTREREZ LE SAUVEUR DE VOTRE FUTUR"

...ÇA ALORS...

...ET PUIS JE ME SUIS MISE À...

AAAATTACK !!!

PLAF

TU AS FLOTTÉ !!

OH, AKI, TU M'AS FAIT PEUR !

HÉ ...QU'EST-CE QUI TE PREND ?!

24

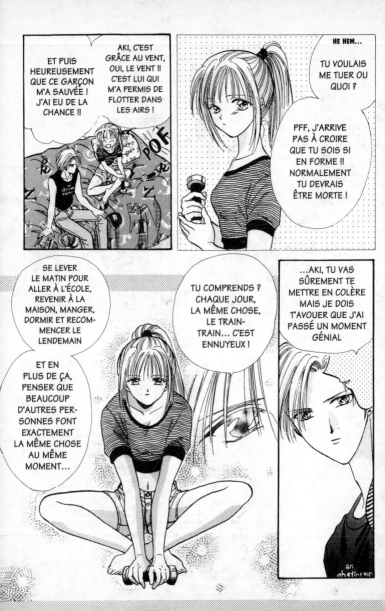

…MOI AUSSI AUJOURD'HUI MON CŒUR S'EST MIS À PALPITER, MAIS AU CONTRAIRE DE TOI, C'ÉTAIT COMME S'IL ME DISAIT "ATTENTION, QUELQUE CHOSE VIENT BRISER LA MONOTONIE QUOTIDIENNE"…

JE NE SAIS PAS TROP CE DONT J'AI ENVIE, PEUT-ÊTRE QUE C'EST MIEUX POUR MOI DE CONTINUER CETTE PETITE VIE TRANQUILLE… ET TOI AKI, COMMENT TU TE VOIS DANS DIX ANS ?

C'EST COMME SI JE N'ÉTAIS QU'UN MOUTON DANS UN TROUPEAU COMPOSÉ DE MILLIONS DE TÊTES ! ÇA A QUELQUE CHOSE… DE DÉCOURAGEANT !… ÇA NE ME SUFFIT PAS…

C'EST AU MOMENT OÙ TU PERDS QUELQUE CHOSE OU QUELQU'UN QUI T'EST CHER QUE TU RÉALISES COMBIEN UNE VIE RANGÉE PEUT ÊTRE AGRÉABLE…

CE QUI COMPTE AVANT TOUT, C'EST D'AVOIR UN FUTUR…

…TU EN DEMANDES TROP !

CRIC

J'COMPTE SUR TOI POUR M'OFFRIR UN CHOUETTE CADEAU, HEIN PETITE SŒUR !?

BON, BREF, DEMAIN ON A SEIZE ANS !!

AYA, AKI, LE DÎNER EST PRÊT !

TOI AUSSI T'AS INTÉRÊT, GRAND FRÈRE !!!

PAH

BOM

...DEMAIN, RENTREZ À LA MAISON DÈS LA FIN DES COURS

GNN

MAIS !!

ÇA SUFFIT ! T'AURAS PAS DE CADEAU !!

PARDON AKI, JE NE L'AI PAS FAIT EXPRÈS

RETIRE ÇA TOUT DE SUITE AKI !!

PFF, APRÈS TU T'ÉTONNES DE PAS TROUVER DE PETIT AMI... !!

an abstinence syndrome

AKI... AYA, IL FAUT QUE JE VOUS PARLE AVANT LE DÎNER

ASSEYEZ-VOUS VITE TOUS LES DEUX !

28

BON, PUISQUE TU LE PRENDS COMME ÇA, C'EST MOI QUI PRENDRAI TOUS LES CADEAUX DE GRAND-PÈRE ! TANT PIS POUR TOI AKI !

JE LUI AVAIS ACHETÉ UN CADEAU SI CHER... ET LUI, EN AVAIT-IL SEULEMENT UN POUR MOI ?!

EN PLUS, IL N'A TOUJOURS PAS RETIRÉ CE QU'IL M'A DIT HIER !

PAR-DON ?

ALLONS ALLONS

REMETTONS LES POLITESSES À PLUS TARD, TOUT LE MONDE VOUS ATTEND !

GRAND-PÈRE !! TU VAS BIEN ?!

TCHAC

SOYEZ LES BIENVENUS, AKI ET AYA !

"TOUT LE MONDE"... ? HEIN ?

!

C'EST ÇA, HEIN ?!

C'EST QUOI ÇA ?! UN PETIT SPECTACLE DE MAGIE POUR FÊTER NOTRE ANNIVERSAIRE À AKI ET À MOI ?!

J'ADMETS QUE J'AI MARCHÉ PENDANT AU MOINS UNE DEMI-SECONDE !

AH AH AH AH AH

ALLEZ, ARRÊTEZ GRAND-PÈRE, TOUT LE MONDE !!

C'EST BON AKI, TU PEUX ARRÊTER DE JOUER LA COMÉDIE ! CE SANG, C'EST DE LA PEINTURE, HEIN ?! T'ES VRAIMENT UN MAUVAIS ACTEUR... !

NE TOUCHE PAS AKI !!!

47

"QUI NE VEULENT RIEN DIRE "?... EH LÀ, ATTENTION, TU PARLES DE SHARAN Q* !

C'EST LA RADIO

QU...

QU'EST-CE QUE TU FABRIQUES ?!!!

GR

RR

TU ÉTAIS ENCORE ENVOÛTÉ PAR CES CHAN- SONS QUI NE VEULENT RIEN DIRE !

AH, ÇA Y EST, TU M'ÉCOUTES !?

AAAH, REGARDE CE QUI EST ARRI- VÉ AU DÎNER !! TU TE RENDS COMPTE QU'IL VA FALLOIR QUE JE RECOMMEN- CE TOUT ?!!

C'EST PAS MOI QUI AI COMMENCÉ !!

ÇA C'EST OBA-Q**

ÇA M'EST ÉGAL !! IL Y A PLUS IMPORTANT !!

AH !!

MADEMOISELLE !! MONSIEUR YUHI !! COMMENT POU- VEZ-VOUS ME TRAITER DE LA SORTE ?!!

53

* GROUPE JAPONAIS
**PERSONNAGE DE BD DONT LA FEMME EST LE PORTRAIT CRACHÉ

EH LÀÀ !!

NE T'INQUIÈTE PAS AKI !!

PAF

AYA !!

HIII

AYA, AKI, CE PIN EST UN HÉRITAGE IMPORTANT DE LA FAMILLE MIKAGÉ À TRAVERS LES GÉNÉRATIONS

N'ESSAYEZ PAS D'Y GRIMPER, VOUS POURRIEZ VOUS BLESSER !

AYA EST VRAIMENT UNE ENFANT TUR-BULENTE À GRIMPER AUX ARBRES DE LA SORTE !

PARDON PÈRE !

PAPA...

PFF

!?

D'AC-CORD !

C'EST BIEN, VOUS ÊTES DE BONS PETITS...

COMMENT JE SUIS ARRIVÉE LÀ... ?!

LE PIN !?

SHHH

QUE... S'EST-IL... PASSÉ... ?

...JE SUIS COUVERTE DE SANG...

LES BLA-BLAS DE YUU WATASE

Je voudrais en revenir à l'événement commémorant la fin de l'OVA de Fushigi Yugi qui a eu lieu les 30 et 31 août dernier. Le 30 à Osaka, j'étais accompagnée par le réalisateur M. Hajimé Kamégaki, le chara-design et directeur de l'animation M. Hideyuki Motohashi, les comédiens qui jouaient les rôles de Miaka, Tamahomé et Hotohori, dans l'ordre Mme Kaé Araki, M. Hikaru Midorikawa, M. Takéhito Koyasu, et enfin les chanteuses des génériques Mmes Akemi Sato et Saori Ishizuka.

La nuit d'avant, je logeais dans le même hôtel que le réalisateur et nous sommes tous allés manger des takoyakis, je me suis complètement saoulée au thé alcoolisé (rires) et j'ai beaucoup parlé avec M. Motohashi. C'est une personne très sympathique.

Mais Watase est toujours très tendue devant les réalisateurs (rires), comme une élève devant son professeur.

Le lendemain, la journée a commencé par la diffusion du générique de début (sans sous-titres), ensuite le Best Of des dialogues des personnages (ça fait un drôle d'effet de voir les comédiens arriver habillés comme aux remises des Oscars en robe de soirée et smoking). Pendant plus de deux heures, chansons, interviews, loteries et cadeaux en tout genre (cartes téléphoniques, dédicaces, etc...). Au cours de cette cérémonie, il y eut le passage de "La lettre de Tamahomé pour Miaka" où Hikaru Midorikawa seul debout sur la scène se mit en avant et fit semblant de lire à la manière de Tamahomé. La réaction de l'auditoire m'a beaucoup amusée. Les gens avaient l'air contents avec les yeux fermés (rires). Moi dans l'histoire, j'avais écrit ces paroles trop naïvement (c'était presque comme une plaisanterie)... J'ai été aussi très embarrassée.

Et le 31 à Tokyo, M. Takéhito Koyasu ne put venir mais Mme Chika Sakamoto (Nuriko) et M. Tomokazu Séki (Chichiri) nous rejoignirent.
À suivre.

VLAP

BOOM

HÉ TOI !! JE SUIS VENU TE SAUVER !

IL NE FAIT PAS PARTIE DE MA FAMILLE !

QUI EST-CE ?!

SPLASH

......

...IL EST VENU ME SAUVER... ?

HEIN ?!

FAUT S'ENFUIR AVANT QUE LES AUTRES N'ARRIVENT !!

JE NE SAIS PAS BIEN POURQUOI MAIS ON M'A DEMANDÉ DE VENIR TE CHERCHER !... ALLEZ, DESCENDS VITE !

OUI... MAIS TOUT SE PASSE SI VITE, TU NE DOIS PAS Y COMPRENDRE GRAND-CHOSE !

NOUS EN REPARLERONS PLUS TARD, POUR L'INSTANT VIENS CHEZ MOI... TU NE DOIS PAS ÊTRE TRÈS À L'AISE DANS CES VÊTEMENTS, N'EST-CE PAS ?

CETTE "NYMPHE CÉLESTE"... C'EST MOI ?

... UNE NYMPHE CÉLESTE ?

SHHHH

PLASH
PLASH

QU'EST-CE QUE ÇA VEUT DIRE ?! JE VOUS REMERCIE DE M'AVOIR AIDÉE MAIS IL FAUT QUE J'Y RETOURNE, MES PARENTS ET MON FRÈRE SONT TOUJOURS LÀ-BAS !!

HÉÉÉÉ !!!

DÉPÊCHONS-NOUS DE PARTIR, NOUS AURONS DES ENNUIS SI LA FAMILLE MIKAGÉ NOUS TROUVE ! MA MAISON SE TROU-VE À ENVIRON DEUX HEURES DE VOITURE D'ICI !

... PFF...

QUI SONT CES GENS ?! QUE ME VEULENT-ILS ?

VLAN

COMME SI J'ÉTAIS D'HUMEUR À PRENDRE UN BAIN !...

ATCHOUM

UN BON BAIN TE PERMETTRA DE RÉFLÉCHIR CALMEMENT ET DE FAIRE LE POINT !

ET PUIS TES VÊTEMENTS SONT TREMPÉS !!

GRR

ÇA VA ÇA VA, JE VIENS DE CHANGER DE VÊTEMENTS !!

VOUS TREMBLEZ DE PARTOUT ET VOUS ÊTES TREMPÉ !

plop

BRR BRR

NON, VOUS ALLEZ ATTRAPER UN RHUME ! ALLEZ VOUS RÉCHAUFFER !

SNIF

OOOOUH ... J'AI FROID

OH, MONSIEUR YUHI !

JE NE COMPRENDS RIEN DE RIEN À CE QUI SE PASSE !! UNE FOIS QUE JE SAURAI LE FIN MOT DE L'HISTOIRE, JE RETOURNERAI À LA MAISON DE GRAND-PÈRE ET...

GNN

S'ILS NE M'EXPLIQUENT PAS TOUT RAPIDEMENT, JE LES FORCERAI À LE FAIRE !

QUAND IL M'A POUSSÉE DE L'ARBRE

IL M'A SEMBLÉE L'ENTENDRE ME DIRE : "FUIS"

"À BIENTÔT AYA"

BOBOM

...QUE FAISAIT-IL CHEZ GRAND-PÈRE ?...

ET POURQUOI M'A-T-IL SAUVÉE ?

CE TYPE... QUI DIABLE ÉTAIT-IL ?!

77

VOUS FERIEZ MIEUX DE FAIRE AMIS AMIS PARCE QUE DORÉNAVANT, VOUS ALLEZ VIVRE ENSEMBLE SOUS LE MÊME TOIT !

PEU IMPORTE QUE VOUS VOUS VOYIEZ NUS L'UN L'AUTRE !!

HUM

MON MEMBRE INFÉRIEUR N'A MÊME PAS RÉAGI ...

VOUS ALLEZ LA FERMER OUI ??!!!

AM

B

VIVRE ENSEMBLE ...

...T'AS UN FILS ÂGÉ HEIN !

ET LUI C'EST YUHI AOGIRI, IL A SEIZE ANS

COMMENT ÇA ? MOI JE VAIS VIVRE ICI ?...

ENCHANTÉE DE TE REN-CONTRER AYA MIKAGÉ, JE SUIS SUZUMI AOGIRI

C'EST MON PETIT FRÈRE !!

"NYMPHE CÉLESTE"...

...QU'EST-CE QUE VOUS ME RACONTEZ AVEC CETTE HISTOIRE DE "NYMPHE" ? JE SUIS UNE LYCÉENNE TOUT CE QU'IL Y A DE PLUS ORDINAIRE !

PARDON DE T'AVOIR EMMENÉE ICI DE FAÇON SI CAVALIÈRE MAIS IL NE FALLAIT À AUCUN PRIX QUE LA "NYMPHE CÉLESTE" SOIT TUÉE

BIEN, TOUT CECI N'A QUE PEU D'IMPORTANCE...

ALORS NE ME FRAPPE PAS !!

... CONNAIS-TU LA VIEILLE HISTOIRE DE... "LA ROBE DE PLUME DE LA NYMPHE CÉLESTE"... ?

IL EN PROFITA POUR LUI VOLER SA ROBE DE PLUME... ET AINSI L'EMPÊ-CHER DE REGA-GNER LES CIEUX... ET IL LA FORÇA À L'ÉPOUSER !

UN JOUR, UN PÊCHEUR SURPRIT UNE NYMPHE CÉLESTE ALORS QU'ELLE PRENAIT UN BAIN

...EUH... QUEL RAPPORT AVEC MOI ?...

LA PAUVRE NYMPHE DONNA PLUS TARD NAISSANCE À UN ENFANT ET... GRÂCE À UNE CHANSON CHANTÉE PAR SON ENFANT, ELLE APPRIT ENFIN L'ENDROIT OÙ SE TROUVAIT SA ROBE DE PLUME, ELLE RÉUS-SIT À LA RÉCUPÉRER ET RETOURNA AU PARADIS !

TU ES LA DESCENDANTE DE CETTE NYMPHE !

S H H H

LA FAMILLE MIKAGÉ TRANSMET LE SANG DE LA NYMPHE DE GÉNÉRATION EN GÉNÉRATION...

BIEN ENTENDU, DE NOS JOURS CE SANG EST DILUÉ, IL EST PRINCIPALEMENT HUMAIN ET N'A PRESQUE AUCUNE DIFFÉRENCE AVEC LE SANG NORMAL !

LA... DESCEN... DANTE... ? HEIN ?

CETTE LÉGENDE N'EXISTE QU'AU JAPON MAIS CONNAÎT DES VARIANTES DANS BIEN D'AUTRES PAYS... C'EST UNE HISTOIRE VRAIE !

JE ME SUIS INTÉRESSÉE À LA FAMILLE MIKAGÉ PARCE QUE J'AI RESSENTI TON POUVOIR !

...C'EST N'IMPORTE QUOI !... QU'EST-CE QUE TU RACONTES ?!... C'EST JUSTE UNE VIEILLE LÉGENDE JAPONAISE !!

NON !!!

MAIS PARFOIS, IL Y A DES PERSONNES DANS LA FAMILLE DONT "LE SANG DE NYMPHE" EST EN PLUS GRANDE QUANTITÉ... SOUVENT LES "FILLES"...

OUI

RESSENTI... ?

MOI AUSSI COMME TOI, J'AI DU SANG DE NYMPHE QUI COULE DANS MES VEINES !

!!!

TU BLAGUES ?!!

KWÂÂ ?!

84

!!

JE N'AI PAS VRAIMENT DE PREUVE MAIS...

flap

"JE FLOTTE"

"DES IMAGES ENVAHIS-SENT MON ESPRIT"

flap flap

JUSTE UN PEU DE TÉLÉKINÉSIE !

C'EST TOUT CE QUE JE SAIS FAIRE !

JE... JE N'EN SAVAIS RIEN...

hm hm

flap flap

PFF

MAIS TOI, C'EST DIFFÉRENT... TU POSSÈDE UN POUVOIR DE "NYMPHE CÉLESTE" BEAU-COUP PLUS PUISSANT !

MAIS... MÊME SI C'EST BIEN LE CAS... ÇA N'EXPLIQUE PAS POURQUOI ILS DOIVENT TUER... JE DOIS LES COMBATTRE !!

JE N'ARRIVE PAS À Y CROIRE !! NOTRE FAMILLE DESCEND D'UN NYMPHE CÉLESTE... ?

FLASH FLASH

SHHH

... QUE PRÉFÈRES-TU ?

RENTRER MAINTENANT ET TE FAIRE TUER ? OU Y RETOURNER PLUS TARD QUAND TU POURRAS COMBATTRE ?!

......

QU'EST-CE QUE TU VEUX ENCORE, TOI ?!!

BOF

BAM

TIENS, J'T'AI FAIT TON REPAS, MANGE !!

LES BLA-BLAS DE YUU WATASE

Les comédiens étaient vraiment drôles. Ils savent mettre de l'ambiance. Avant la diffusion, les annonces dans la salle à Osaka étaient faites par Tamahomé et à Tokyo c'est Chichiri, c'est-à-dire M. Séki qui s'en chargeait, "…Il est interdit de filmer avec une caméra" (rires) pour finir sur "Ah, j'ai un coup d'pompe !". En un mot, ça a beaucoup plu et j'en suis contente. C'était comme si mes personnages m'avaient accompagnée en chair et en os. Une question qu'on m'a posée à Tokyo m'a fait beaucoup transpirer (rires) : "Écrirez-vous une suite à Fushigi Yugi ?"

J'ai entendu soudain un grand cri venir de partout dans la salle : "Ouiiii !!!!". C'était très gentil, j'ai vu que vous ne m'aviez pas oubliée (rires) et j'ai été très émue. J'ai aussi écrasé ma petite larme en voyant le premier épisode de l'OVA, c'était comme un film, sur un grand écran et avec un son d'enfer !! Je l'avais déjà vu il y a longtemps en avant-première avec M. Motohashi sur une télévision, mais là, au cinéma, j'étais très impressionnée (rires) !!! En vérité, pendant la diffusion, je me suis cachée derrière pour la regarder avec vous. Je suis sûre que vous ne m'avez pas remarqué, hein ?! À Osaka et à Tokyo, les gens ne réagissent pas aux mêmes moments. Le premier épisode contient beaucoup de mystère et je me demandais comment cela allait se passer… À la fin de l'épisode, la réaction était plus importante à Osaka. Je suis l'auteur mais pour cette OVA, je n'ai rien fait du tout (rires) !!

Le scénario a été conçu par le réalisateur. Je ne me suis pas sentie responsable et c'était très cool. À la fin de la nouvelle version des OAV, on voyait plusieurs illustrations et quelques vieux dessins sur grand écran (larmes d'émotion). Il y a quand même une différence avec la version vendue en cassette, cette dernière contient plus d'illustrations dans le générique de fin.

VRROOO

PLUS JAMAIS JE NE SERAI AVEC AKI, PAPA ET MAMAN...

SI CE QUE CETTE SUZUMI A DIT EST VRAI

JE NE POURRAI PLUS JAMAIS VIVRE UNE EXISTENCE NORMALE

NI AVEC LUI...

ÇA NE PEUT PAS ÊTRE VRAI... JE SUIS UNE FILLE ORDINAIRE !!!

NON !!

JE TOMBE AMOUREUSE NORMALE-MENT...

UNE LYCÉENNE BANALE

JE ME DISPUTE ET JE RIS AVEC AKI ET MES AMIS

90

TU AS BIEN FAIT DE REVENIR AYA !

NOUS AURIONS FINI PAR TE RETROUVER DE TOUTE FAÇON !

VLAN

NE BOUGE PAS !!

GRAND-PÈRE... PAPA... !!

LE SANG... DE... LA "NYMPHE CÉLESTE"... ?

...TU ES AU COURANT ?!... TRÈS BIEN, ALORS LE RÉCIT N'EN SERA QUE PLUS COURT... IL Y A LONGTEMPS EST NÉE DANS LA FAMILLE MIKAGÉ UNE FILLE QUI POSSÉDAIT LES POUVOIRS D'UNE NYMPHE

!!

LE PLUS ÉTONNANT EST QUE AKI AUSSI POSSÈDE UN POUVOIR, UN POUVOIR BIEN DIFFÉRENT DU TIEN, BÉNÉFIQUE POUR LA FAMILLE...

...

C'EST FAUX

ET TOI AYA, TU POSSÈDES CE POUVOIR !

QUAND ELLE EUT SEIZE ANS, CETTE FILLE VOULUT DÉTRUIRE LA FAMILLE MIKAGÉ ENTIÈRE ET TOUS CEUX QU'ILS CONNAISSAIENT

C'EST FAUX !!

...C'EST TON DESTIN !! POUR LE BIEN DE LA FAMILLE MIKAGÉ, TU DOIS MOURIR !

POUR PROTÉGER NOTRE LIGNÉE, ELLE DUT ÊTRE TUÉE... DEPUIS LORS, CHAQUE FILLE DE NOTRE FAMILLE DOIT ÊTRE TESTÉE LE JOUR DE SON SEIZIÈME ANNIVERSAIRE POUR DÉTERMINER SI ELLE POSSÈDE LES POUVOIRS DE LA NYMPHE...

95

LES BLA-BLAS DE YUU WATASE

Avant la séance, je vous regardais depuis le moniteur de la loge. Je vous voyais courir tout en mangeant mon casse-croûte. À Tokyo, il y a beaucoup de personnes qui s'étaient déguisées. C'était très amusant. Après la séance, on m'a dit qu'une partie de la pellicule du film me serait offerte (avec l'autographe de M. Motohashi !!). Je suis allée en choisir une parmi celles qui étaient exposées dans le hall. Les gens déguisés m'ont vue et m'ont saluée. Cela m'a impressionnée ! À la séance de dédicaces de cet été, une dizaine de personnes étaient venues déguisées et on avait fait des photos ensemble, ce qui m'avait beaucoup amusée (ils firent également leurs propres dédicaces...). J'ai été surprise par la qualité des costumes. Je préfère lorsque les costumes sont confectionnés avec amour. Je me suis procuré des fanzines (Oh la la, presque une centaine !!) et pourtant c'est moi l'auteur original !... Bon, en vérité c'étaient des cadeaux !! On voit tout de suite lorsqu'ils sont fait superficiellement ou avec amour. Je ne devrais pas dire avec amour mais avec cœur !! (il ne faut quand même pas exagérer !). Revenons à nos moutons. Ah oui... le moment le plus difficile de cet événement fut les signatures que M. Motohashi et moi dûmes faire sur les affiches réservées en remerciement aux cent premières personnes réservant un volume 1 des OAV. À cause de ça, j'ai eu un mal de dos digne d'une vieille grand-mère ! Vous en avez acheté une ? Il y avait en plus un cadeau qui était très amusant : Suboshi en SD... qu'il était mignon !! Je viens d'avoir le volume 2 des OAV, il faut absolument que tout le monde, en tout cas tous les fans de Fushigi se précipitent dessus (rires) !!

...OÙ EST AYA ?

NON AKI, NE BOUGE PAS !! TU ES COUVERT DE BLESSURES !!

AYA...

OUH

AKI... TU NE REVERRAS PLUS JAMAIS AYA... DE TA VIE ENTIÈRE...

DE BLESSURES ?... MAIS COMMENT ?!... ET AYA ? QU'EST-IL ARRIVÉ À TOUT LE MONDE ?

......

104

POUR-QUOI...?

C'EST... C'EST LA VÉRITÉ...?!

QU'EST-CE QUE J'AI ÉTÉ M'IMAGI-NER...?!

...QUELLE IDIOTE JE SUIS !!

... TOYA EST UN DE NOS HOMMES DE MAIN !

QUAND IL M'A DIT LE MOIS DERNIER "JE VEUX VOUS SERVIR", JE L'AI AUSSITÔT ENGAGÉ COMME GARDE DU CORPS !

C'EST UN HOMME LOYAL QUI FAIT TOUT CE QUE NOUS LUI DISONS !

108

COMMENT ONT-ILS FAIT POUR NE PAS S'EN APERCEVOIR AVANT ?

114

... AYA ...

... !!

INCROYABLE ... C'ÉTAIT DONC VRAI !!

OOOH

AYA... !?

C'EST BIEN ELLE QUI SE TROUVE DANS CETTE LUMIÈRE AVEUGLANTE !? **ON NE VOIT RIEN !**

ELLE POSSÈDE LE POUVOIR DE LA "NYMPHE" À UN TEL DEGRÉ !!... SON SANG EST SI PUR, C'EST COMME SI LA NYMPHE ELLE-MÊME ÉTAIT REVENUE SUR TERRE !!!

TU CROIS QUE C'EST LE MOMENT DE BAVARDER ?! IL FAUT L'ARRÊTER !!!

SBAM

MAIS DÉSORMAIS AYA EST SOUS LA PROTECTION DE YUHI AOGIRI...

DÉSOLÉ M. MIKAGÉ

TOYA !! NE LAISSE PAS AYA S'ENFUIR !! TUE-LA !!...

QUEL ABRUTI !!

OUPS !

MAIS T'ES COMPLÈTE-MENT DÉBILE OU QUOI ?!! POURQUOI TU LEUR AS DIT TON NOM ?!!!

TANT PIS, FUYONS EN VITESSE !!

AOGIRI ...?

CLIC

...C'EST TROP BÊTE

...J'AI OUBLIÉ DE LE CHARGER...

QUOI ?!...

VROOO

BABAMBABAM

FICHONS LE CAMP !!

YUHI !! ON VA METTRE LE PIED AU PLANCHER ALORS TIENS-LA BIEN !!!

EUH... OK, JE LA TIENS MAIS... EUH...

EST-CE QUE C'EST VRAI-MENT BIEN DE FAIRE ÇA... ?

122

**ANNIVERSAIRE : le 24 septembre,
balance**

GROUPE SANGUIN : O

TAILLE : 1,77 m

MENSURATIONS : ?/ ?/ ?

**PASSE-TEMPS FAVORIS : c'est récent
collectionner les cd occidentaux, veut un pc**

SPÉCIALITÉ : l'anglais

HUMM MM

CET UNIFORME NE ME VA PAS SI MAL APRÈS TOUT !

CRIC

GNN

JE VIS CHEZ LES AOGIRI DEPUIS DÉJÀ DE NOMBREUX JOURS

MAIS JE NE PENSAIS PAS DEVOIR CHANGER D'ÉCOLE

SAVOIR CE QU'EST CE SANG DE "NYMPHE", QUEL EST CE POUVOIR QUI S'Y RATTACHE !! SI ON IGNORE TOUT CELA, ON NE POURRA JAMAIS VAINCRE LES MIKAGÉ !

MAIS EST-CE QUE JE N'AI PAS LE DROIT DE SAVOIR QUI JE SUIS EN DÉFINITIVE !?

TU VEUX CHERCHER DES INFOS SUR LA NYMPHE TOI-MÊME ?!

LES MIKAGÉ SONT CALMES EN CE MOMENT, MAIS ÇA NE VEUT PAS DIRE QU'ILS NE TE CHERCHENT PLUS !

RENONCES-Y ! TU FERAIS MIEUX DE NE PAS QUITTER LA MAISON !

MOI AUSSI JE DESCENDS D'UNE NYMPHE... ET QUAND J'AI SU QUE TU EXISTAIS, J'AI TOUT VOULU SAVOIR SUR TOI... OUI, JE COMPRENDS TON DÉSIR DE SAVOIR...

JE TE COMPRENDS

ET QUE DEVIENNENT AKI ET MAMAN ?

TAP TAP

...JE NE SUIS PAS RETOURNÉE À LA MAISON DEPUIS CES ÉVÉNEMENTS (C'EST TROP DANGEREUX)... OH PAPA, T'ONT-ILS SEULEMENT DONNÉ UN ENTERREMENT DIGNE DE TOI ?

JE NE FAISAIS QUE PRENDRE UNE DOUCHE !! COMMENT J'AURAIS PU DEVINER QUE TU SURGIRAIS SANS CRIER GARE ?!!!

... POUR- QUOI ?!

REPOUSSANTE ?!! J'AI L'ENTREJAMBE LE PLUS SYMPA DE TOOOUS LES HOMMES QUI EXISTENT DE PAR LE MONDE !! ET C'EST PAS D'MA FAUTE SI T'EN AS JAMAIS VU AVANT...

AAAH, JE SUIS DÉGOÛTÉE !! VOIR UNE CHOSE AUSSI REPOUSSANTE SI TÔT LE MATIN !!

IL SUFFIT !!

ÇA TE FERA LES PIEDS !!!

YUHI !!

COMMENT TU PEUX ME JETER AU VISAGE UNE SI BONNE SOUPE QUE J'AI CUISINÉE EN Y METTANT TOUT MON CŒUR ?!!

...

134

KAAASH

AAH

PAS LA PEINE D'ESSAYER DE L'ENLEVER, SEUL QUELQU'UN POSSÉDANT LE SANG D'UNE NYMPHE EN EST CAPABLE !

JE SAVAIS QUE TU REFUSERAIS !

JE NE SUIS PAS "LE ROI DES SINGES" !!!

ÇA SUFFIT !!

NE ME FAIS PAS RIRE !! POURQUOI EST-CE QUE JE LUI SERVIRAIS DE...

GNN

MOI AUSSI, J'AI CE MOTIF EN MÉMOIRE DEPUIS MA NAIS-SANCE, JE SUPPO-SE QU'IL S'AGIT D'UNE SORTE DE SOUVENIR HÉRITÉ DE LA NYMPHE...

...PFF

C'EST MOI QUI DEVRAIS DIRE ÇA !

DIRE QUE JE DOIS PASSER LA JOUR-NÉE ENTIÈRE AVEC TOI À CAUSE DE CES MAUDITS BANDEAUX... QUEL ENNUI !!

T'AURAIS PU REFUSER SI T'AVAIS VRAIMENT VOULU, MAIS J'AI L'IMPRESSION QUE TU NE REFUSES PAS SOUVENT QUELQUE CHOSE À TA SŒUR... TU NE NOURRIRAIS PAS DES SENTIMENTS CONTRE-NATURE À SON ÉGARD PAR HASARD ?!

136

AKI... NE T'AGITE PAS ! REPOSE-TOI MON PETIT...

OUMFF

...POURQUOI NE PUIS-JE PAS SORTIR D'ICI ?! QU'EST-IL ARRIVÉ À PAPA ET AYA ?!

JE NE SAIS PAS CE QUI M'ATTEND DANS L'AVENIR... MAIS JE N'AI PAS D'AUTRE CHOIX QUE D'AVANCER... JUSQU'À CE QUE JE TROUVE LA SORTIE

ATTENDEZ-MOI AKI... MAMAN

JE TE PRÉSENTE L'HOMME QUI EST CHARGÉ DE RETROUVER TA SŒUR ET TON PÈRE

AKI

JE TE L'AI DÉJÀ EXPLIQUÉ... AYA S'EST ENFUIE EN TE VOYANT PERDRE TON SANG ET TON PÈRE EST PARTI À SA POURSUITE MAIS N'EST TOUJOURS PAS REVENU...

JE NE TE CROIS PAS GRAND-PÈRE !!...

SI TU AS DES QUESTIONS À POSER, ADRESSE-TOI À LUI ! LAISSE-LE S'OCCUPER DE TOUT ET CONTENTE-TOI DE GUÉRIR DE TES BLESSURES !

IL SE NOMME TOYA

QUOI ?

NON, TU NE TUERAS PAS AYA

OUI... AKI EST UN GARÇON TRÈS IMPOR-TANT POUR LE FUTUR DE LA FAMILLE MIKAGÉ !

CE SONT DES JUMEAUX ?

NE DIS RIEN AU VIEUX MAIS... CE QUE JE VEUX, C'EST AVANT TOUT ÉTUDIER LE FORMIDABLE POUVOIR QUE POSSÈDE AYA...

...JE NE COMPRENDS PAS BIEN... VOUS ME DITES DE "PROTÉGER" LE FRÈRE ET DE "TUER" LA SŒUR ?

TON RÔLE EST DE "SURVEILLER AYA" ET DE "CAPTURER LA NYMPHE"... TU ES LE SEUL QUI EN SOIT CAPABLE POUR UNE RAISON OU UNE AUTRE

UTILISER SON HÉRITAGE DE NYMPHE À MON AVANTAGE

TU EMPÊCHERAS AYA D'AGIR À SA GUISE

TU NE REFUSERAS PAS, N'EST-CE PAS TOYA ?!

IL VA BIEN MA TANTE... IL EST JUSTE UN PEU ÉNERVÉ C'EST TOUT !

KAGAMI, COMMENT VA AKI ?!

VLAN

AYA EST UNE "DESCENDANTE DIRECTE"

·····

"UTILISER SON HÉRITAGE DE NYMPHE"... DITES, NE POSSÉDEZ-VOUS PAS VOUS AUSSI CE SANG DE NYMPHE EN TANT QUE MEMBRES DE LA MÊME FAMILLE ?!

JE COMPRENDS CE QUE TU RESSENS

TIENS

JE ME DEMANDE CE QU'IL DIRAIT S'IL SAVAIT QUE AKI NE PEUT PAS SORTIR !...

JE SUIS TOUJOURS INQUIÈTE À PROPOS DE AYA ET DE MON MARI... ILS N'ONT TOUJOURS PAS ÉTÉ RETROUVÉS ?!

PLOP PLOP

...MAIS TOUT ÇA, C'ÉTAIT UNIQUEMENT POUR VOUS PROTÉGER !

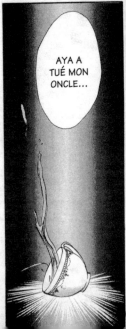

AYA A TUÉ MON ONCLE...

JE SUIS DÉSOLÉ DE DEVOIR TE LE DIRE MAIS...

AFIN QUE VOUS N'AYEZ PAS UNE MORT AUSSI ATROCE QUE TON MARI

ATCHOUM

TU ES SI JOLIE MIKAGÉ, TU DEVAIS AVOIR UN SACRÉ SUC-CÈS AUPRÈS DES GARÇONS DANS TON ÉCOLE D'AVANT !

QUI POURRAIT FAIRE ÇA À UNE SI GEN-TILLE FILLE, HUM ?!

HUM
ON DOIT ÊTRE EN TRAIN DE PARLER SUR MON DOS !

ÇA VA MIKAGÉ ?

OH, BEN PEUT-ÊTRE PARCE QUE TU OUVRES TROP SOUVENT TA GRANDE BOUCHE !!!

JE PEUX SAVOIR POURQUOI TU ME HAIS ?!

CE N'EST PAS PARCE QU'ON VIT ENSEMBLE QUE TU PEUX TE PERMETTRE DES FAMILIA-RITÉS !!!...

AVEC UNE TÊTE PAREILLE, IL FAU-DRAIT UN MIRACLE POUR QU'ELLE SE TROUVE UN PETIT AMI !!

HÉÉ, JE DOIS L'AVOUER EN EFFET !

BAM

LES BLA-BLAS DE YUU WATASE

Non je ne vous le redirai pas (rires). Cette fois, je n'avais pas vu les dessins, j'étais donc très nerveuse. Pour tout vous dire, pendant la nuit, je m'étais juré de ne pas pousser de cris de bête en voyant ce second volume des OAV (je suis bête) mais je n'ai pas pu m'en empêcher : "Ooooooh" "Oui, il est vraiment beau Tama, oouaaaaah !!" "Tasuki !! Il est cool ! Ouaiis !" "Oh Amiboshi, qu'il est mignoooon..."   "Gyaaaaah" "Hyaaaaah !!!!" "Gloups" (et tout un tas d'autres mots incompréhensibles)... Et puis à la fin, ouaaah, j'ai crié comme une femme (??)... Pourquoi ? C'est à vous de voir, c'était vraiment très intéressant ! Je pense que ce volume sera mis en vente le 18 décembre. Le nouveau thème musical et son CD seront mis en vente aussi à la même date si je ne m'abuse, essayez-les. Vous serez enchantés par le volume 3. Le réalisateur et son équipe sont des gens supers !! Il faut absolument regarder cette série de dessins animés. Les dessins sont si beaux !! Je voudrais bien en faire autant !! Mais il y avait une de ces scènes dans le volume deux, une scène d'un érotisme TORRIDE !! Bon bref, finie la pub, je reviens à mon sujet...

Cérès est tout à fait à mon goût. Mme Naoko Takéuchi m'a écrit que c'est très esthétique. Oui c'est vrai, peut-être un peu. À part Cérès, en vérité, j'aime bien ce qui est esthétique (rires). Les beaux personnages aux histoires d'amour complexes et leurs expressions d'amour extrêmes, tristes avec des scènes de sang, bref, ayant un lien avec la mort !

La musique de fond (BGM) est bien sûr d'inspiration classique !! Mes œuvres sont connues pour leur sincérité et la passion qu'elle dégagent. Mais en vérité, il existe un autre aspect... (rires). Même si c'est une histoire extrême, il me faut de l'amour (et même l'Amour avec un grand A !). Vous ne ressentez rien en écoutant la musique de "Misshitsu (chambre secrète) interprétée par le groupe Buck-Tick ? Non ? Ooooh !! J'aimerais bien moi aussi dessiner des histoires esthétiques où la mort et l'amour se mêlent dans une valse sanglante mais on me renverrait de Shojo Comics* (rires) !! C'est sûr et mes fidèles lecteurs ne voudraient peut-être plus entendre parler de moi !! Ce serait bien dommage !!
*La revue qui publie Ayashi no Cérès *au Japon*

VAS-Y YUHI !!

ALORS C'EST POUR ÇA QUE CE MATIN VOUS ÊTES ARRIVÉS DANS LA MÊME VOITURE !!

ÇA ALORS !!!

QUOI !? VOUS VIVEZ ENSEMBLE ??!!!

OH MIKAGÉ, COMME JE T'ENVIE !!

PFF

OÙ QUE J'AILLE, ELLES M'ASSAILLENT DE QUESTIONS À SON SUJET... CE N'EST PAS COMME ÇA QUE JE TROUVERAI DES INDICES SUR LA NYMPHE...

JE VAIS ATTENDRE UN PEU QU'ELLES SE CALMENT !

CE YUHI EST ASSEZ POPULAIRE CHEZ LES FILLES

TOILETTES FILLES

SHHH

TOUT ÇA PARCE QUE TU M'AS VOLÉ MON PREMIER BAISER !!

EH LÀ, NE FAIS PAS COMME SI TOUT CE QUI S'ÉTAIT PASSÉ N'AVAIT PAS D'IMPORTANCE !!!!

HÉ...

ATTENDS UN PEU !!

TRANQUILLISE TOI... TA MÈRE ET TON FRÈRE VONT BIEN...

!!

EUH... ET TA DATE DE NAISSANCE ?! OÙ ES-TU NÉ ?...

...QUI SAIT ?

C'EST QUOI TON NOM DE FAMILLE !?

...JE N'EN SAIS RIEN

C'EST PAS JUSTE !!! JE NE TE CONNAIS MÊME PAS !!!

C'EST MOCHE

ARRÊTE DE TE MOQUER DE MOI !!!!

...C'EST LA PURE VÉRITÉ

153

KAGAMI... ?

KAGAMI M'A AMENÉE ICI EN CACHETTE DE TON GRAND-PÈRE !

... MAMAN ...

QU'EST-CE QUE TU FAIS À LA MAISON ?! TU N'ÉTAIS PAS RETENUE DANS LA MAISON DE GRAND-PÈRE ?!

ALORS AKI AUSSI ? AKI AUSSI EST RENTRÉ ?!

160

LES BLA-BLAS DE YUU WATASE

L'amour extrême qui rend presque fou est quelque part très sublime. Comme l'amour entre Eros et Thanatos. Il y a en même temps un côté noir. Je comprends qu'il y ait un risque à réaliser de tels dessins. Moi au contraire, j'aime bien les mondes très doux avec plein de cœurs partout... Peut-être que c'est comme ça pour la plupart des auteurs de ces œuvres aussi (rires) mais on ne dirait pas...

Ainsi, la psychologie humaine et ce qui la compose est constituée dans ce monde par deux choses complètement opposées : le Yin et le Yang. Cérès, bien que ce ne soit pas le thème principal de cette BD, est aussi l'histoire constituée par cette dualité je pense. Par exemple, homme et femme, amour et haine, lumière et ombre, bien et mal, passé et futur, etc.

Parmi eux, l'existence de jumeaux est très mystérieuse. En plus, Aya et Aki sont garçon et fille et jumeaux, des jumeaux bivitellins (issus de deux œufs différents). C'est un point très important de cette histoire. Yuhi et Toya sont complètement opposés (rires). Je me demande avec lequel Aya va aller... Il n'y a certainement pas de réponse car s'il y avait 1000 personnes il y aurait 1000 formes d'amour. Comment Aya va aimer et être aimée ? En plus, l'amour de la famille est très loin pour elle... oh la la oui...(rires). Faites attention vous aussi, on ne sait jamais ! Êtes-vous sûrs de ne pas avoir d'ancêtres louches... je vous conseille de vérifier (rires). Un jour peut-être le découvrirez-vous soudainement. Comme dit Aki, le quotidien peut se détruire du jour au lendemain ! Les humains sont entre la dualité de la vie et de la mort. Mais non, je n'ai pas l'intention de vous faire peur... enfin, juste un peu !!! (rires). Voilà, rendez-vous dans le volume 2 !

Octobre 1996.

161

BIEN, VERSE LA POUDRE DANS L'EAU CHAUDE !

OUIII

TAC   TAC

ET PAPA VIENT DE RENTRER DU TRAVAIL...

AKI EST DANS SA CHAMBRE EN TRAIN D'ÉCOUTER SES CD PRÉFÉRÉS

AAH ...

AYA !

COMME ÇA... J'AI L'IMPRESSION QUE TOUT EST REDEVENU COMME AVANT... COMME SI TOUT CE QUI S'ÉTAIT PASSÉ DEPUIS NOTRE ANNIVERSAIRE N'ÉTAIT EN FAIT QU'UN CAUCHEMAR...

JE ME DEMANDE CE QUE MAMAN SAIT DE CETTE HISTOIRE DE "NYMPHE CÉLESTE"...

...C'EST VRAI... LA FAMILLE N'A PAS PRIS LE TEMPS DE S'ASSEOIR AUTOUR D'UNE TABLE POUR DISCUTER DE CE PETIT PROBLÈME... C'EST DOMMAGE...

AAAAAH !!

DOBABABA

TU EN AS TROP MIS !!!

DIS MAMAN !

BAH, JE PEUX ME DÉBROUILLER TOUTE SEULE, JE N'AI PAS BESOIN DE SON AIDE !!

IDIOTE !

SI YUHI ÉTAIT LÀ, IL SE MOQUERAIT DE MOI !...

164

IL N'AVAIT PAS EU CE POSTE PARCE QU'IL ÉTAIT LE FILS DU PATRON MAIS PARCE QU'IL AVAIT TRAVAILLÉ DUR, IL DISAIT QUE C'ÉTAIT SA FIERTÉ... ET QU'IL S'ÉTAIT PAYÉ CETTE MAISON GRÂCE À SA SUEUR !

TON PÈRE AVAIT COMMENCÉ À TRAVAILLER DANS UNE ENTREPRISE DE TON GRAND-PÈRE

IL N'Y A RIEN DE SURPRENANT, ÇA FAIT DÉJÀ HUIT ANS QUE NOUS VIVIONS DANS CETTE MAISON !

OOH ! IL Y A UN TROU !!

EUH...

JE VOIS... IL N'EN PARLAIT JAMAIS ALORS JE NE SAVAIS MÊME PAS CE QU'IL FAISAIT EN-DEHORS DE LA MAISON...

NON, TON PÈRE ÉTAIT DANS LA SECTION COMMERCIALE

J'IGNORAIS QUE PAPA TRAVAILLAIT DANS LA MÊME ENTREPRISE QUE KAGAMI ! PAPA FAISAIT AUSSI DE LA RECHERCHE... ?

IL A BEAUCOUP DONNÉ... POUR NOUS...

DIS-MOI AYA

OH !

IL FAUT RALENTIR LE FEU !

165

TOUS LES SOIRS VOUS VOUS RETROUVEZ, N'EST-CE PAS ? MAIS JUSQU'OÙ VOUS ÊTES DÉJÀ ALLÉS ? TU L'AS DÉJÀ VUE À POIL ?!

COMMENT VA TON ÉPOUSE... LA JOLIE AYA... ? ELLE EST PARTIE EN TE LAISSANT TOMBER !?

BAH, TU LA RETROUVERAS CHEZ VOUS, NE T'EN FAIS PAS !

OH !

OH AOGIRI, LE PROF T'A MIS EN RETE-NUE ?

PFF, IL EST TARD !

EH BIEN...

ŒIL →

JE TE PRÊTERAI MON CAMÉSCO-PE POUR LA PROCHAINE FOIS !! POUR LA CASSETTE, UNE 120 MN SUFFIRA ?!

FAIS-EN PROFITER LES COPAINS ALLEZ !! JE T'EN OFFRE 100 YENS !!

LÂCHEZ-MOI LES GARS !!!

OH !

OH, NE GARDE PAS TES PEN-SÉES POUR TOI SEUL !!!

...EN FAIT...

TAP TAP

D'AIL-LEURS ...

IL N'Y A RIEN ENTRE ELLE ET MOI !!!

ELLE N'EST PAS ENCORE RENTRÉE À LA MAISON ?!!!

ALLÔ ?

DRING

!

AAAH

AH SUZUMI ?... OUI... ELLE EST PARTIE EN AVANCE ET... HEIN ?

OH, ET PUIS QUOI ? ELLE PEUT BIEN FAIRE CE QU'ELLE VEUT...

CHEZ ELLE !?

ET ELLE N'EN EST PAS ENCORE RESSORTIE...

COMME JE TE LE DIS !!... JE VIENS DE RECEVOIR UN APPEL DE NOTRE CHAUF-FEUR, APPAREMMENT, ELLE EST RETOURNÉE CHEZ ELLE À TOKYO ...

C'EST BON, J'AI COMPRIS, LAISSE-MOI FAIRE !

J'Y AURAIS BIEN ÉTÉ MOI AUSSI MAIS MES ÉLÈVES SONT LÀ ET...

UNE SCÈNE DE MÉNAGE ?

UNE FUGUE ?

LES MIKAGÉ SONT PROBABLEMENT À L'AFFÛT... ELLE EST EN DANGER... REJOINS-LA VITE LÀ-BAS... IL FAUT LA PROTÉGER, ON VA T'Y CONDUIRE !

NOTRE CHAUFFEUR N'ÉTANT AU COURANT DE RIEN, ON NE PEUT PAS COMPTER SUR LUI POUR INTERVENIR

ET N'OUBLIE PAS !! PEU IMPORTE COMBIEN UNE FILLE T'EN VEUT, UNE FOIS QUE TU L'AURAS EMBRASSÉE, ELLE NE TE RÉSISTERA PLUS !!!

AOGIRI... BONNE CHANCE !! RAMÈNE-LA !!!

HÉ LÀ HOOO !!

ZUT ALORS, JE SUIS INQUIET !!!

PFF, ELLE N'EST PAS DU GENRE À SE CALMER POUR UN SIMPLE BAISER !!!!

...POURTANT LE CHAUFFEUR EST AVEC AYA ET...

...AU FAIT, ELLE A DIT "ON VA T'Y CONDUIRE"... ?!

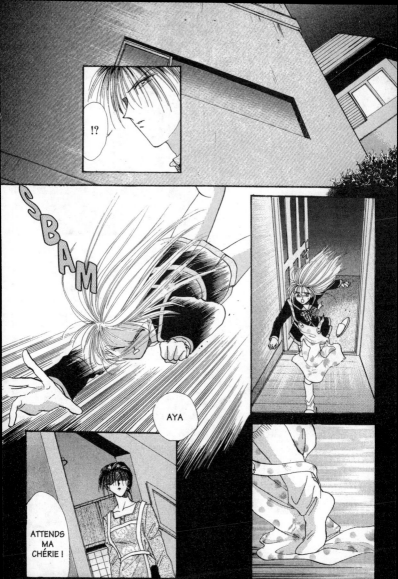

175

AYA ?

J'AI EU L'IMPRESSION QUE AYA M'APPELAIT

. . . . .

...AH, C'EST TOI KAGAMI ?!...

...PAR CONTRE, JE SAIS QUE GRAND-PÈRE EST TRÈS EN COLÈRE ! IL M'A DIT QUE TU REFUSAIS DE MANGER ET DE PARLER !!

ÉVIDEMMENT !! QUOI QUE JE DEMANDE, ON ME RÉPONDS TOUJOURS PAR "JE NE SAIS PAS "!! OU "NE SORS PAS D'ICI "!!

CES BLESSURES... ET CETTE MAIN ÉTRANGE QUE GRAND-PÈRE NOUS A MONTRÉE LE JOUR DE NOTRE ANNIVER-SAIRE !!... QU'EST-CE QUE C'EST ?!!... DIS-LE-MOI !! TU LE SAIS ?!

À PROPOS, MAMAN N'EST PAS VENUE ME VOIR AUJOURD'HUI... JE M'INQUIÈTE... OÙ PEUT-ELLE ÊTRE ?!

JE L'IGNORE, JE REVIENS TOUT JUSTE DU TRAVAIL...

EH BIEN ...

MADAME MIKAGÉ, C'EST POUR L'ÉMISSION TV "LA CUISINE DE MON VOISIN" !!

C'EST BIZARRE, LA SONNETTE NE MARCHE PAS, PAS PLUS QUE LE TÉLÉPHONE !!

ALLÔ ? ALLÔ ? C'EST LE LIVREUR DE JOURNAUX !!

EXCUSEZ-MOI !!

TOC TOC

C'EST PAS LA PEINE, JE VOUS DIS !!

CHEF

POUSSE-TOI...

BON, JE SUPPOSE QU'IL VA FALLOIR ENTRER EN FORCE...

ÇA VOUS SURPREND VRAIMENT ?

ÇA ALORS, MÊME ÇA, ÇA NE MARCHE PAS, INCROYABLE !!!

GALERIE D'IMAGES

"AYASHI NO SERESU !"
un conte de fées céleste
© 1996 by WATASE yuu

All rights reserved
Original japanese edition published in 1996 by SHOGAKUKAN Inc., Tokyo
French translation rights arranged with SHOGAKUKAN Inc.
for Belgium, Canada, France, Luxembourg and Switzerland

Édition française :
© 2001 TONKAM
BP 356 - 75526 Paris Cedex 11
1ʳᵉ édition : juillet 2000
3ᵉ édition : avril 2001
Traduction Adaptation Maquette : Studio TONKAM

Achevé d'imprimer en avril 2001
sur les presses de l'imprimerie Darantiere à Quetigny (Côte-d'Or)
Dépôt légal : mai 2001